Maman solo

PAULE BRIÈRE et GABRIELLE GRIMARD

imagine

**Catalogage avant publication de Bibliothèque
et Archives nationales du Québec et Bibliothèque
et Archives Canada**

Brière, Paule

Maman solo

Pour enfants de 4 ans et plus.

ISBN 978-2-89608-100-4

I. Grimard, Gabrielle, 1975- II. Titre.

PS8553.R453M36 2012   jC843'.54   C2011-942318-9
PS9553.R453M36 2012

Maman solo © Paule Brière / Gabrielle Grimard
© Les éditions Imagine inc. 2012
Tous droits réservés

Graphisme : Paul Boisvert

Dépôt légal : 2012
Bibliothèque nationale du Québec
Bibliothèque nationale du Canada

Les éditions Imagine
4446, boul. Saint-Laurent, 7ᵉ étage.
Montréal (Québec) H2W 1Z5
Courriel : **info@editionsimagine.com**
Site Internet : **www.editionsimagine.com**
Tous nos livres sont imprimés au Québec.

10 9 8 7 6 5 4 3 2 1

Gouvernement du Québec — Programme de crédit d'impôt
pour l'édition de livres — Gestion SODEC.

Nous reconnaissons l'aide financière du gouvernement
du Canada par l'entremise du Fonds du livre du Canada
pour nos activités d'édition.

Nous remercions le Conseil des Arts du Canada de l'aide
accordée à notre programme de publication.

Programme d'aide aux entreprises du livre et de l'édition
spécialisée de la SODEC.

Pour la vraie Malou et son équilibriste

PAULE BRIÈRE

La maman de Malou est soliste.
Au concert, elle joue seule avec son violon.

À la maison, elle joue seule avec Malou.
Le papa est parti quand Malou était encore bébé.

Maman aime beaucoup Malou.

Elle lui donne plein de bisous
qui lui chatouillent le cou.

Malou adore ça, elle rit aux éclats.

Mais parfois, malgré tout l'amour
de sa maman, Malou s'ennuie,
sans savoir pourquoi...

Malou mène une drôle c

Les autres enfants se couc
tous les soirs dans leur lit. M
elle, va au concert avec sa r

Elle se cache dans les couliss
et se laisse bercer par la musiq
du violon de sa mama

Malou s'ennuie un petit mome
puis elle s'endor

À la fin, quand les spectateurs applaudissent,
Malou se réveille d'un coup. Ça fait tant de bruit !

Maman vient vite la trouver, la rassurer, l'embrasser.

Alors Malou se rendort dans ses bras, puis dans
sa loge, puis sur la banquette du taxi.

Enfin, à l'hôtel, Malou s'endort pour de bon.

Le matin, Malou se réveille
dans un lit, comme tout le monde.

Parfois dans un petit lit, parfois dans
un grand avec sa maman.

Malou aime bien dormir dans les hôtels.
À cause des fleurs partout, de la télé dans
la chambre et de la salle de bains juste à côté,
avec les petits savons à collectionner.

Malou mène une drôle de vie.

Les autres enfants vont à l'école ou à la garderie,
les autres parents vont travailler.

Malou, elle, reste avec sa mère. Elles passent
toutes leurs journées ensemble.

Le matin, la maman de Malou répète ses solos
de violon. Malou, de son côté, doit s'occuper
bien sagement, sans un bruit.

Mais elle préférerait s'amuser et rire avec
des amis, faire autant de tapage
qu'un grand orchestre !

L'après-midi, Maman retrouve
Malou et lui donne des bisous.

Ensemble, elles explorent la ville.
C'est amusant: le parc, le musée,
le grand magasin, le restaurant.

Et puis ça recommence dans une
autre ville: le musée, le cinéma,
le parc, le grand magasin...

Parfois, Maman manque d'énergie.

Devant son miroir, elle dit:
« Je suis fatiguée de cette vie en solo,
toujours toute seule...»

Malou l'entend et lui apporte
son violon en souriant.

« Mais non, Maman, tu n'es pas
toute seule. Viens, joue avec nous!»

Pourtant, Malou aussi en
a un peu assez de cette vie.

Elle s'ennuie de son papa,
même si elle ne le connaît pas.

Elle s'ennuie de ses amis,
même si elle n'en a pas.

Un jour, dans une nouvelle ville, Malou sent un air
différent, comme une musique inconnue dans le vent.

Elle aperçoit un grand chapiteau coloré.

Maman dit: «Oh! j'adorais le cirque quand j'étais petite.»

C'est ainsi que Malou découvre le cirque, ses clowns,
ses magiciens, ses jongleurs, ses acrobates.

Elle applaudit et elle rit beaucoup, comme quand
Maman la chatouille avec ses bisous.

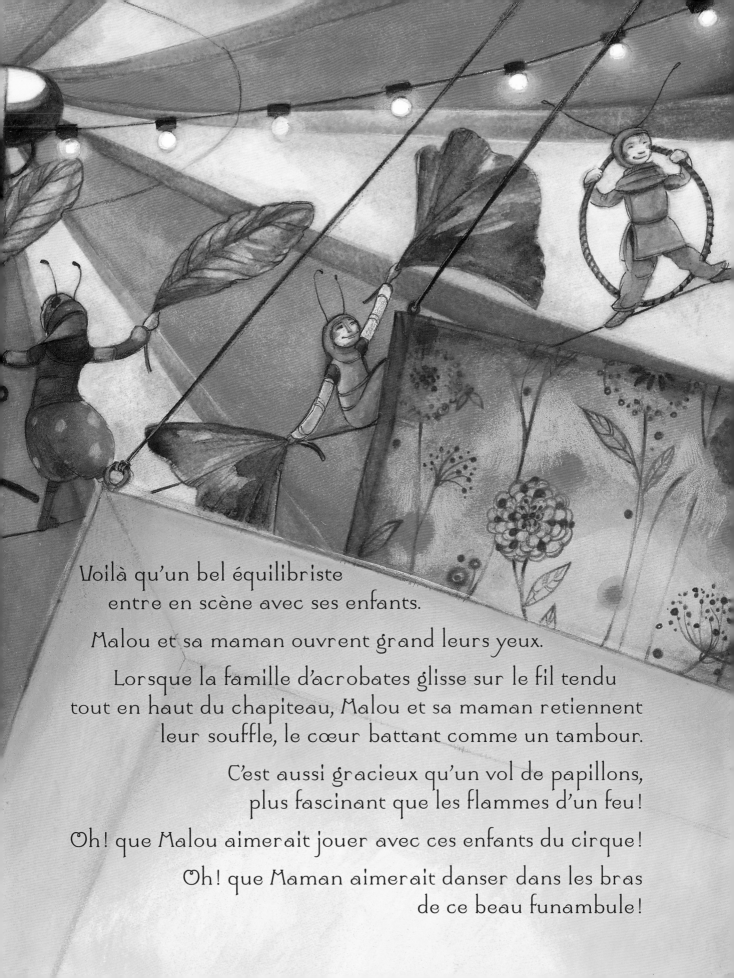

Voilà qu'un bel équilibriste
entre en scène avec ses enfants.

Malou et sa maman ouvrent grand leurs yeux.

Lorsque la famille d'acrobates glisse sur le fil tendu
tout en haut du chapiteau, Malou et sa maman retiennent
leur souffle, le cœur battant comme un tambour.

C'est aussi gracieux qu'un vol de papillons,
plus fascinant que les flammes d'un feu !

Oh ! que Malou aimerait jouer avec ces enfants du cirque !

Oh ! que Maman aimerait danser dans les bras
de ce beau funambule !

Après le spectacle, les gens applaudissent à grand bruit.

Maman entraîne Malou dans les coulisses pour saluer la famille d'artistes.

L'équilibriste est un peu
soliste, lui aussi.

Il joue seul avec ses enfants,
au cirque comme dans la vie.

Leur maman est partie,
comme le papa de Malou.

Les jours suivants, Malou et
sa maman retournent au cirque.

Après le spectacle, elles vont revoir
la famille de funambules.

Le soir venu, c'est au tour
des acrobates de venir
au concert, puis d'aller
saluer la violoniste
et sa petite fille dans
les coulisses.

Pendant que les enfants jouent
avec Malou, l'équilibriste et la violoniste
se font des bisous dans le cou...

Un soir, après le concert,
Malou et sa maman
ne rentrent pas à l'hôtel.

Elles retournent plutôt au
cirque avec leurs nouveaux
amis et s'endorment dans
leur grande roulotte.

Au matin, Malou se réveille
dans un grand lit, avec
tous les petits acrobates
autour d'elle.

Malou fait maintenant partie
de la belle famille du cirque.

Sa maman n'est plus soliste
ni sur scène, ni dans la vie.

Elle continue de jouer avec Malou
et lui donne toujours plein de bisous.

Elle en donne aussi au beau funambule et à ses enfants.

Et elle joue du violon dans un tout nouveau numéro de cirque qu'elle présente en duo avec son amoureux !

Malou mène toujours une drôle de vie, mais elle ne s'ennuie plus jamais, car elle a un nouveau papa et plein d'amis.

Elle est heureuse, et sa maman aussi !

FIN